MOLDE, MOLDE

Tekst: Ola Gjendem
Foto: Øivind Leren

Forgiving: Tomas Amsrud og Øivind Leren
Oversatt til tysk og engelsk ved ComText-Apropos AS.
Repro og trykk: ekh.no
Sats: 11/15 Myriad Pro
Papir: 150g MultiArt Silk
Innbinding: AiT Otta

Utgitt av Øivind Leren, 2006
Tlf.: 71 25 16 66
Epost: oivind.leren@adsl.no

ISBN-13: 978-82-997446-0-7
ISBN-10: 82-997446-0-1

MOLDE, MOLDE

HVOR ATLANTERHAVET

Moldes Nationalsang | Tekst: Adjunkt Palle Godtfred Olaus Dørum

Hvor Atlanterhavet
slår mod Romsdals kyst,
fjorden det har gravet
dybt i klippens bryst.
Der, hvor fjelde golde
står mod stormens gny,
blomsterkranset Molde
ligger trygt i ly.

Venlig staden smiler
mod det blanke speil,
hvorpå skibe iler
frem med hvide seil.
Grøn sig hæver stranden
frem fra vandets glans.
Rundt om billedranden
går en sølverkrans.

Spillende med stråler
snor sig fjorden ind
Romsdalshorn sig måler
hist med Vengetind.
Når mit øie skue
al den skjønhed kan,
må vel hjertet lue
for mit fødeland.

Et besøk i Molde er et besøk i en norsk småby. En rar liten småby som er like langt fra det å være verdens navle som de fleste andre småbyer. Men livet er like mangfoldig her som overalt ellers. Molde rommer et helt univers. Her er tollere og fariseere, røvere og samaritaner. De er her alle sammen, i den lille byen i det store landskapet. Det er denne kontrasten som gjør det hele annerledes. Omgivelsene er med å løfte byen frem.

Molde ligger langstrakt, sørvendt og vakkert til ved Romsdalsfjorden. Med ryggen til nordvesten vender byen seg mot fjorden, holmene og det berømte og mektige Moldepanoramaet. Molde ligger «trygt i ly» på 62° 44′ 7″. Byen har milde vintre, og det er sjeldent at den bitende kulda setter seg fast i flere dager. Skiftingene i vestlandsværet gjør at vi blir oppmerksomme på spenningene i de gråblå dagene og at vi setter ekstra pris på de solrike sommerdagene med høy blå himmel og temperaturer som gjør at vi føler oss hensatt til målene for pakketurene til sydligere egne.

De første spor av det lille strandstedet Molde Fiære kommer frem fra historiens halvlys omkring 1350. I Romsdal var det i lang tid livlig handel med tømmer med Nederland, England og Spania. Ved Moldeelvas utløp var det opplagsplass av trevirke for eksport. Molde ble ladested i 1614 og fikk sine kjøpstadsrettigheter i 1742 av kong Christian den 6. av Danmark-Norge. I 1850-årene hadde byen over 30 seilskuter som seilte på alle hav. Omtrent på denne tiden oppdaget de første lystreisende stedet. Den aller første turistyacht seilte inn fjorden i 1851. Utover i 1870 og 1880-årene, blomstret turisttrafikken og lille Molde ble et av stedene som måtte sees.

Foto: Birkeland

Nå er den hvite småbyen «gamle Molde» med duftende rosehager borte. Byen ble herjet av brann i 1916 og utslettet av tyske bomber i april 1940. Etter den andre verdenskrig ble byen bygget raskt opp igjen i en tid med mangel både på penger og bygningsmaterialer. Dette er bakgrunnen for at sentrums-Molde er preget av nøktern arkitektur.

Utsikt må moldenserne ha. Fra boligen, fra Storgata, fra arbeidsplassen, fra Storlivegen, fra Varden. Menneskene i den lille fjordbyen midt i dette storslagne landskapet bruker ordet som et mantra. Som en hymne og hyllest, som et trylleformular. Og her er vi ved kjernen: blikket for, og utsikt mot, naturen og livets uendelige variasjoner.

Hele tiden skiftinger i farger, lys og stemninger. Moldenserne må være med i årets rytme, døgnets rytme, lysets raske skiftinger. De tynne og vare fargene kjærtegner fjelltoppene. De mettede og fyldige fargene brer seg utover holmene og fjorden. Endringer, skiftinger, aldri det samme, alltid på veg over i noe annet. Den blå byen omgir seg med blå fjell, den blå fjorden og det blå lyset som i sine mange sjatteringer binder sammen, skiller og skaper avstander.

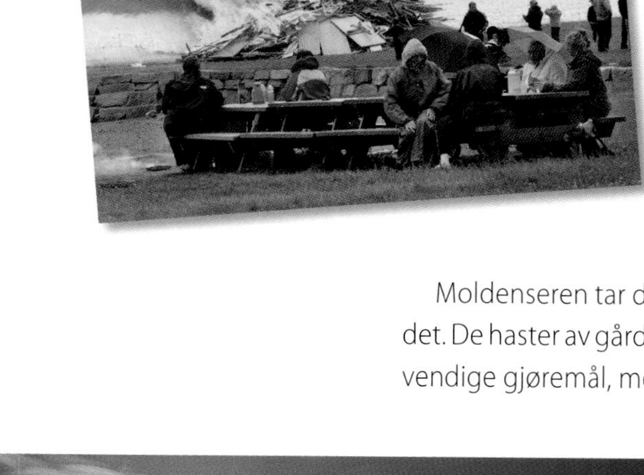

Moldenseren tar det inn over seg, lever i det og med det. De haster av gårde til de daglige unødvendige og nødvendige gjøremål, men er omgitt av dette voldsomme og dette vare. Det evige som er «alltid eins å sjå» og det alltid omskiftelige. Den evige forandringen.

Molde vender ryggen til det kalde store havet, og blikket mot fjorden med holmer og skjær, og mot fjellene. Mange av dem strekker seg like opp fra fjorden. Moldepanoramaet består av 333 topper og 222 av dem har himmelen som bakteppe når du ser dem fra Rekneshaugen eller Varden, de klassiske utsiktspunktene i byen.

Du kan velge å se fjellrekken som en dyster og kvass tanngard. Eller som flotte og spennende utfordringer, sommer som vinter. Bedre turterreng finnes ikke, mener romsdalingene. Her er det variert og utfordrende terreng for de tøffeste som søker adrenalinkikkene. Samtidig er det nok av rolig og trygt terreng for dem som vil ha det slik.

Mange av fjellene står der som spisse piler som peker videre ut i verden. «Undrer meg på hva jeg får at se» sa Bjørnstjerne Bjørnson. Han gikk på skole i småbyen fra 1844 til 1849. En by som ble for trang for ham.

«Verdens vakreste by», det har stått på trykk i Romsdals Budstikke, sagt av mennesker utenfra. Det står så mye på trykk i «Budstikka», denne vår daglige åndelige vitamin. Ikke alt stemmer. Så kanskje heller ikke dette. Men det var hyggelig sagt. Og Moldenseren vet at byen og landskapet den er plassert i, vil nå høyt opp i en slik konkurranse.

Molde er en handels- og serviceby, men er samtidig blant de største jordbrukskommunene og har det største antallet industriarbeidsplasser i Møre og Romsdal. Byen har omlag 25 000 innbyggere, og den er det naturlige sentrum for Romsdalsregionen. Innslaget av offentlig administrasjon og service er stort, og byen har et sterkt og variert utdanningsmiljø.

De årlige festivalene våre, Jazzfestivalen og Bjørnsonfestivalen, sammen med våre blå/hvite fotballspillere og fremstående politikere og næringslivsfolk er med på å minne resten av landet om at vi er her og «at vi noe vil». Molde stikker seg frem og det fører til at byen blir kalt med så mange navn: Rosenes by, fotballbyen, den blå byen, byen ved fjorden, by i ly, jazzbyen, romsdalsbyen, konfeksjonsbyen. Kjært barn, har mange navn. Og Molde har mange.

I Molde og Romsdal er «I» det personlige pronomenet i 1. person entall. «I» er vår identitet og vårt fremste stammemerke. «I» er samtidig en iboende kraft, en faktor som må regnes med. I-kraften er symbolet på handlekraft, engasjement og synlighet.

Vi som bor i denne lille rare byen er begeistret for byen og omgivelsene. Ikke slik at vi går og kjenner på det, men vi er det, selv om vi i vår romsdalske beskjedenhet har litt vanskelig for å innrømme at «slik er det med den saken».

«Rundt om billedranden går en sølverkrans» heter det i «Moldes Nationalsang». «I» og vi er omkranset av denne store rammen som holder det hele sammen, selv om komposisjonen skifter uttrykk og farger, former og stemninger. Sølverkransen holder fast dette evige og det foranderlige som er årsaken til at vi blir her, og som er bonusen vi høster for å bli boende i denne lille byen, med nesten bare en gate, noen få menneske kryp, litt historie og landskapet. Det store landskapet som omkranser, rammer inn og holder oss fast.

To visit Molde is to visit a small Norwegian town. A funny little town which is just as far from the centre of things as most other small towns. But life is just as diverse here as it is everywhere else. There is a whole universe in Molde. Here are scribes and pharisees, robbers and samaritans. They are all here, in this little town in a big landscape. This is the contrast which makes the whole place different. The town's surroundings help to bring it forward.

Molde stretches along the beautiful, south facing banks of the Romsdalsfjord. Turning its back on the north-west, the town turns its face to the fjord, the islets and the famous and mighty Molde Panorama. At 62° 44' 7" north, Molde lies comfortably in the lee of the mountains. The town enjoys mild winters and it is rare indeed for the biting cold to set in for many days running. The changing, west country weather highlights the drama of the days of grey and makes us enjoy all the more the sunny summer days, with blue skies and temperatures which could make us believe we had been transported much further south.

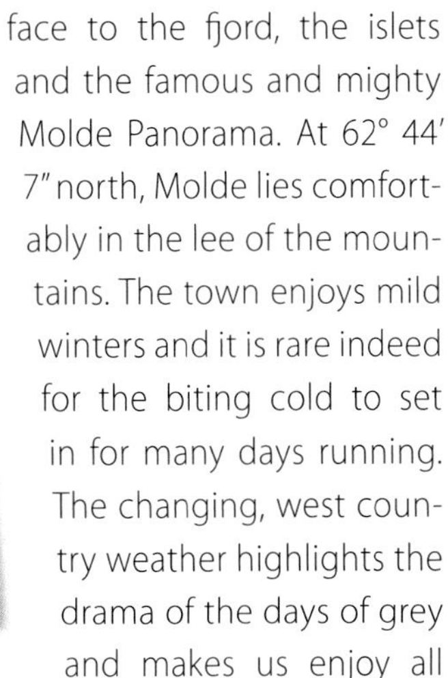

The first traces of a small, fjordside community, then called Molde Fiære, emerge from the half light of history around 1350. For a long time Romsdal enjoyed a lively trade in timber with The Netherlands, England and Spain. The timber awaiting export was stored by the estuary of the Molde river. Molde became a recognised port in 1614 and received the status of a market town from King Christian VI of Denmark-Norway in 1742. In the 1850s Molde was the home port of more than 30 ocean going sailing ships. It was about that time that the first leisure travellers visited the town. The very first tourist yacht sailed into the fjord in 1851. During the course of the 1870s and 1880s tourism boomed and little Molde became a "must see" destination.

The small, white-painted town of Old Molde, with its fragrant rose gardens, is gone now. The town was ravaged by fire in 1916 and wiped out by German bombers in April 1940. After the second world war, the town was quickly rebuilt at a time when money and building materials were both in short supply. That accounts for the down-to-earth nature of central Molde's architecture.

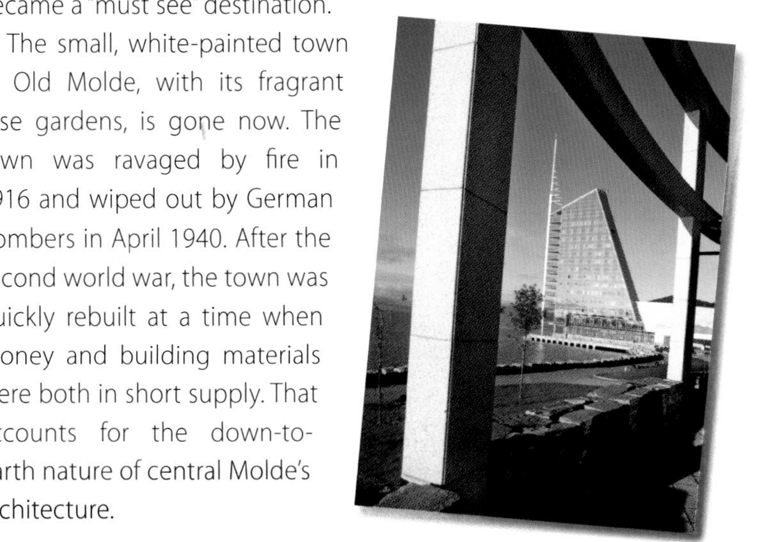

The people of Molde just have to have a view. From their houses, from Storgata, from office or workshop, from Storlivegen, from Varden. The people who live in this little fjordside town, in the midst of such a magnificent landscape, use the word "view" like a mantra. As a hymn and a homage, as a magic charm. And here we come to the heart of it: an eye for, and a view of, the ceaseless variations of nature and life.

Constant changes of colour, light and mood. In Molde, people must follow the rhythm of the seasons, the rhythm of the day, the rapid changes of the light. The pale, elusive colours of the mountain tops. The rich, saturated colours spreading across the islets and the fjord. Shifting, changing, never the same, always turning into something else. The blue town is encircled by blue mountains, the blue fjord and the blue light, whose many nuances bring together, separate and create distance.

The people of Molde steep themselves in it, live in it and with it. They rush about to their daily needful and unnecessary tasks, but they are surrounded by this richness and this elusiveness. The eternal which is always one's to see and the ever-changing. The eternal alteration.

Molde turns its back on the great, cold ocean and looks towards the fjord with its islets and skerries and towards the mountains. Many of them rise straight up from the fjord. The Molde Panorama consists of 333 peaks and 222 of them stand out against the skyline when you see them from the town's classic viewpoints of Rekneshaugen and Varden.

You may choose to see this mountain range as a sombre and sharp row of teeth. Or as so many beautiful and exciting challenges, both summer and winter. You will never find better walking country, according to the locals. Here is a varied and challenging terrain for the tough guys looking for their adrenalin kick. Or for those who want it, there is plenty of gentle, safe walking.

Many of these peaks stand as arrows, pointing to a wider world. "I am astonished at what I am able to see," wrote the Nobel prize winning author Bjørnstjerne Bjørnson. He went to school in this little town from 1844 to 1849, but the town became too narrow for his outlook.

«The world's most beautiful town» - that's what outsiders have called it, according to the local paper Romsdals Budstikke. You can find lots of things printed in Budstikke, our daily dose of mental vitamins. Not all of it is right. So

perhaps this isn't either. But it was good to hear it said. And the people of Molde know that their town and its surroundings would score highly in any such competition.

Molde is a town for shopping and services, but it is also among the largest agricultural communities and has more jobs in industry than anywhere else in Møre & Romsdal county. The town has about 25,000 residents and is the natural centre of the Romsdal region. Public administration and service is a key element and the town's educational mix is strong and varied.

Our annual festivals, the Jazz Festival and the Bjørnson Festival, together with our blue and white clad footballers and prominent politicians and business people all help to remind the rest of the country that we are here and we know what we want. Molde puts itself forward; perhaps that's why the town is known by so many names: the town of roses, football town, the blue town, the town by the fjord, the town in the lee, jazz town, Romsdal's town, garment town. Well-loved children get many names, they say. Just like Molde.

In Molde and in Romsdal, "I" – the personal pronoun, first person singular - is important. "I" is our identity and our tribal signature. "I" is also an inherent force, a force to be reckoned with. The I force is the symbol of drive, commitment and conspicuousness.

Those of us who live in this funny little town are happy with our town and its surroundings. Not by going out and feeling it, but by being it, even though our natural Romsdal modesty makes it hard for us to admit that that's just the way it is.

"Around the picture runs a silver garland," runs Molde's "National Anthem". "I" and we are encircled by this great frame which holds everything together, even though the composition changes expression and colours, form and mood. The silver garland holds together the eternal and the changeable, which are our reason for being here and which are the bonus we reap for living in this little town, with practically only one street, some few human souls, a little history and the landscape. That great landscape which surrounds, enframes and holds us fast.

Wer Molde besucht, lernt eine norwegische Kleinstadt kennen - ein wenig eigentümlich und nicht gerade der Nabel der Welt, wie wohl die meisten Kleinstädte. Und doch steckt sie voller Leben und Vielfalt, ja sie scheint ein ganzes Universum zu beherbergen: Zöllner und Pharisäer, Räuber und Samariter – alle finden ihren Platz in dieser kleinen Stadt inmitten der gewaltigen Landschaft. Gerade dieser Kontrast macht sie zu etwas Besonderem, denn ihre Umgebung verleiht ihr außergewöhnliche Akzente.

Molde liegt, nach Süden gerichtet, langgestreckt und malerisch am Romsdalsfjord. Den Rücken im Nordwesten, wendet sich die Stadt zum Fjord hin, zu den Inseln und dem berühmten, grandiosen Molde-Panorama. Geschützt auf 62° 44'7"gelegen, verwöhnt sie Mensch und Natur mit einem milden Winter, in dem beißende Kälte über mehrere Tage hinweg selten ist. Die Wechselhaftigkeit des Wetters an der norwegischen Westlandküste sorgt dafür, dass die Menschen die Spannung spüren, die den graublauen Tagen innewohnt, und die Sommertage besonders schätzen, an denen sie vom weiten blauen Himmel, der gleißenden Sonne und hohen Temperaturen in südliche Urlaubsregionen versetzt werden.

Die ersten Spuren der kleinen Strandsiedlung Molde Fiære sind uns aus dem Halbdunkel der Jahre um 1350 überliefert. Romsdal unterhielt über lange Zeit hinweg lebhafte Handelsbeziehungen zu den Niederlanden, England und Spanien, die mit Holz aus der Region beliefert wurden. An der Mündung des Moldeflusses lag der Stapelplatz des für den Export bestimmten Holzes. Im Jahre 1614 wurde Molde Küstenstadt, 1742 erhielt es von König Christian VI. von Dänemark-Norwegen den Status einer Handelsstadt. In den 1850er Jahren gab es über 30 Segelschiffe in der Stadt, die auf allen Weltmeeren unterwegs waren. Etwa zu dieser Zeit entdeckten auch die ersten Vergnügungsreisenden den Ort. Die erste Touristenjacht segelte 1851 in den Fjord ein. In den darauffolgenden Jahrzehnten erlebte der Fremdenverkehr einen Boom und das Örtchen Molde gehörte bald zu den Städten, die man gesehen haben musste.

Heute ist die weiße Kleinstadt «Alt-Molde» mit ihren duftenden Rosengärten verschwunden. 1916 wurde die Stadt von einem Brand und 1940 von deutschen Bomben heimgesucht. Nach dem Zweiten Weltkrieg baute man sie rasch wieder auf - doch in dieser Zeit mangelte es sowohl an Geld als auch an Baumaterialien. Daher ist das Stadtzentrum von Molde heute von eher nüchterner Architektur geprägt.

'Weitblick' ist etwas, worauf in Molde niemand verzichten möchte – von der Wohnung, der Hauptstraße, vom Arbeitsplatz aus, vom Storlivegen und Varden. Die Menschen der kleinen Fjordstadt inmitten einer grandiosen Landschaft benutzen diesen Begriff wie ein Mantra – als Hymne, Huldigung und Zauberformel. Und damit sind wir beim Kern der Sache: Es geht um den Blick nicht nur auf, sondern auch für die Natur und ihre unendliche Vielfalt an Leben.

Molde wird beherrscht von einem ständigen Wechsel an Farben, Lichtverhältnissen und Stimmungen. Die Moldener legen Wert darauf, den Tages- und Jahresrhythmus und den raschen Wechsel des Lichts hautnah zu erleben. Zarte Pastellfarben überziehen die Berggipfel, satte, intensive Farben legen sich über die kleinen Inseln und den Fjord. Wechsel und Veränderung – immer auf dem Weg zu etwas Neuem, nie vergleichbar mit zuvor Dagewesenem. Die blaue Stadt umgibt sich mit blauen Bergen, einem blauen Fjord und mit dem blauen Licht, das in seinen vielgestaltigen Schattierungen verbindet und trennt, Gemeinsamkeiten und Abstand schafft.

Die Moldener verinnerlichen diese Stimmungen, leben in und mit ihnen. In ihrem Alltag eilen sie weiter zu wichtigen und nebensächlichen Aktivitäten - und sind doch immer umgeben von den Gewalten und Feinsinnigkeiten der Natur. Von dem Ewigen, das stetig gleich bleibt, und dem ständig Wechselhaften – der immerwährenden Veränderung.

Mit dem riesigen, kalten Meer im Rücken wendet Molde das Gesicht zum Fjord hin, zu den kleinen Inseln und Schären - und zu den Bergen. Viele von ihnen ragen direkt aus dem Meer in die Höhe. Das berühmte Molde-Panorama besteht aus 333 Gipfeln – 222 von ihnen scheinen sich direkt an den Himmel zu schmiegen, wenn man sie vom Rekneshaugen oder Varden aus betrachtet, den klassischen Aussichtspunkten der Stadt.

Dem einen mag die Gebirgssilhouette wie ein dunkles Gebiss mit spitzen Zähnen erscheinen. Dem anderen als herrliche, faszinierende Herausforderung im Sommer wie im Winter. Ein schöneres Tourengebiet gibt es nicht – meinen jedenfalls die Romsdalener. Auf der Suche nach dem Adrenalinkick erwartet die Mutigen ein vielgestaltiges Gelände mit zahlreichen Herausforderungen. Wer es etwas gemütlicher mag, findet eine breite Palette an Möglichkeiten in sicherer Umgebung.

Viele der Berge stehen wie spitze Pfeile da, die in die Welt hinaus weisen. «Mich wundert, was ich zu sehen bekomme», meinte Bjørnstjerne Bjørnson. Er besuchte zwischen 1844 und 1849 die Schule in der Stadt, die ihm später dann allerdings zu klein wurde.

"Schönste Stadt der Welt" – so das Urteil ihrer Besucher – stand schwarz auf weiß geschrieben in der Romsdaler Zeitung Budstikke, unserer täglichen geistigen Nahrung. Dort ist mitunter vieles zu lesen. Nicht alles stimmt, vielleicht auch das nicht. Aber es war nett gesagt. Und die Moldener wissen, dass ihre Heimat in einem derartigen Wettbewerb einen der vordersten Plätze belegen würde.

Molde ist Handels- und Dienstleistungsstadt, gleichzeitig jedoch einer der bedeutendsten Agrar- und Industriestandorte in Møre og Romsdal. Etwa 25.000 Einwohner leben in der Stadt, dem Zentrum der Region Romsdal. Öffentliche Verwaltung und Serviceangebote prägen den Dienstleistungssektor, außerdem gibt es zahlreiche und breit gefächerte Ausbildungsangebote.

Die jährlich stattfindenden Festivals, das Jazz- und das Bjørnsonfestival, Moldes Fußballmannschaft in blauweiß, herausragende Politiker und Persönlichkeiten der Wirtschaft tragen dazu bei, der Welt mitzuteilen: Das ist Molde – die Stadt, die etwas erreichen möchte. Molde ist aktiv und engagiert, was der Stadt zahlreiche Namen bescherte: Stadt der Rosen, Stadt des Fußballs, die blaue Stadt, Stadt am Fjord, Stadt im Schutz der Berge, Jazzstadt, Romsdalsstadt, Konfektionsstadt. Denn einem geliebten Kind gibt man viele Namen – und Molde hat wahrlich einige aufzuweisen.

In Molde und Romsdal verwendet man einen besonderen Ausdruck für «Ich»: Das «I» ist das wichtigste «Stammeszeichen» der Menschen in der Region, ein Teil ihrer Identität. Dem «I» wohnt Kraft inne, ein Faktor, mit dem man rechnen muss. Die «I»-Kraft ist Symbol für Schaffenskraft, Engagement und Zielstrebigkeit.

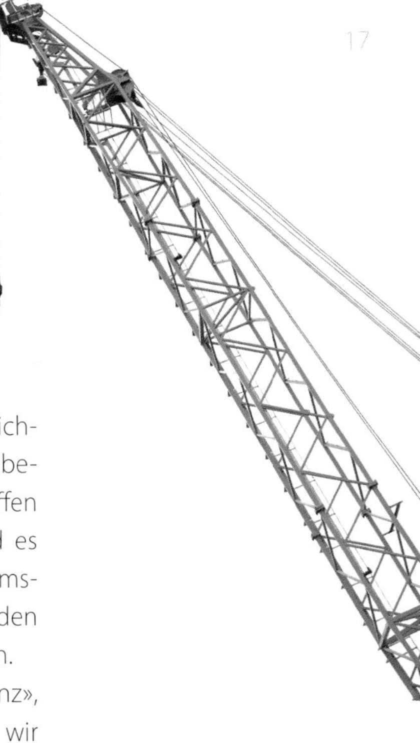

Die Bewohner dieser unvergleichlichen kleinen Stadt sind von ihr begeistert. Weniger so, dass sie das offen zur Schau tragen - doch sie sind es wirklich, auch wenn die den Romsdalern eigene Bescheidenheit es den Menschen etwas erschwert, diese Tatsache zuzugeben.

«Um den Rahmen des Bildes legt sich ein Silberkranz», heißt es in der «Nationalhymne» der Stadt. «I» und wir sind umgeben von diesem großen Rahmen, der alles zusammenhält, selbst dann, wenn das Bild selbst seinen Ausdruck verändert, seine Farben, Formen und Stimmungen. Der Silberkranz festigt das ewig Beständige und Veränderliche und führt so dazu, dass die Moldener ihrer Stadt treu bleiben. Er ist der Bonus für diejenigen, die Molde als Heimat betrachten – dieses Städtchen, das doch aus kaum mehr als einer einzigen Straße, ein paar Menschen, ein wenig Historie und vor allem Landschaft besteht. Der überwältigenden Landschaft, die unserem Leben einen Rahmen verleiht und Halt gibt.

Utsikt fra Vardestua. Moldepanoramaet består av 333 fjelltopper som ligger syd for byen.

View from Vardestua. The Molde Panorama consists of 333 mountain peaks which lie to the south of the town.

Das Molde-Panorama von der Vardestua aus gesehen. Es besteht aus 333 Berggipfeln südlich der Stadt.

Neste side: Molde sentrum med Molde domkirke, Rådhuset, Rådhusplassen og Nedre torg.

Next page: The centre of Molde with the cathedral, town hall, town hall square and Nedre Torg.

Nächste Seite: Das Stadtzentrum von Molde mit Domkirche, Rathaus, Rathausplatz und Nedre Torg, dem unteren Markt.

Molde har et levende sentrum med Storgata, Torget og Molde domkirke som viktige møteplasser.

Molde has a lively centre, in which Storgata, Torget and the cathedral are important meeting places.

Molde hat ein lebendiges Stadtzentrum mit Storgata, Torget und der Domkirche Molde als wichtige Treffpunkte.

Molde har et kompakt sentrum der butikkene, stadion og fjorden med kaiene ligger i gangavstand fra hverandre.

The centre of Molde is compact; the shops, the stadium and the fjordside quays are all within walking distance of each other.

Im kompakten Stadtzentrum liegen Geschäfte, das Stadion und der Fjord mit den Kais nahe beieinander.

molde

Skoreparatør "Maggen" i sitt lille verksted på Nedre torg.

"Maggen" the shoe repairer in her little workshop on Nedre Torg.

Die Schusterin "Maggen" in ihrer kleinen Werkstatt am Nedre Torg.

Nedre torg og "MoldeTorget" sett fra kirketårnet.

Nedre Torg and "Molde Torget" shopping centre, seen from the church tower.

Der Nedre Torg und das Einkaufszentrum "MoldeTorget", vom Kirchturm aus gesehen.

Molde er kjent som Rosenes by. På Rådhustaket og mange andre steder i sentrum finnes vakre rosehager.

Molde is known as the Town of Roses. There are beautiful rose gardens on the town hall roof and many other places around the town centre.

Molde ist als Stadt der Rosen bekannt. Auf dem Rathausdach und an zahlreichen Orten im Stadtzentrum sind malerische Rosengärten zu finden.

AKER STADION

Molde er også kjent som "Den blå byen".

Molde is also known as "The Blue Town".

Molde wird auch als die „Blaue Stadt" bezeichnet.

Molde sentrum skifter fullstendig karakter i Jazzfestivaluka. Storgata er gågate med et yrende folkeliv.
Festivalen er musikk, møtested og handel.

Molde town centre changes character completely in Jazz Festival week. The pedestrianised Storgata teems with life.
It's a festival of music, meeting people and shopping.

In der Woche des Jazzfestivals verwandelt sich das Stadtzentrum von Molde in eine pulsierende Szenerie. Die Storgata wird zur dicht bevölkerten Fußgängerzone.
Das Festival hat nicht nur Musik zu bieten, sondern ist zugleich auch Treffpunkt und Markt.

moldejazz
molde international jazz festival
P
200 m
PEPSI
moldejazz
moldejazz
molde international jazz festival
www.moldejazz.no

Molde Jazzfestival som startet i 1961 har vokst til å bli en festival i verdensformat som presenterer både verdensstjerner og lokale musikere.

From its beginnings in 1961, Molde Jazz Festival has grown onto the world stage and presents both international stars and local musicians.

Das Jazzfestival Molde, das im Jahr 1961 klein anfing, hat sich mittlerweile zu einer Veranstaltung von Weltrang entwickelt, die sowohl Weltstars als auch Musikern aus der Region ein Forum bietet.

molde

Vardehytta, Rica Seilet Hotel og paviljongen på Rekneshaugen er viktige utsiktspunkt mot fjellene og fjorden for både fastboende og tilreisende.

Vardehytta, Rica Seilet Hotel and the pavilion at Rekneshaugen are favourite viewpoints towards the mountains and the fjord, for residents and visitors alike.

Die Hütte auf dem Varden, das Rica Seilet Hotel und der Pavillon auf dem Rekneshaugen sind für Einheimische wie Besucher gleichermaßen wichtige Aussichtspunkte auf Bergpanorama und Fjord.

Molde har et rikt kulturliv, her representert ved Bjørnsonhuset, kunstneren Arne Nøst, potetball, kanonene på Molde Skandse, Jan Inge "Mella" Melsæter, Fuglset Mannskor og Romsdalsmuseets Leikarring.

Molde enjoys a rich cultural life, represented here by the Bjørnson House, the artist Arne Nøst, a potato dumpling, the canons on Molde Skandse, Jan Inge "Mella" Melsæter, Fuglset Male Voice Choir and Romsdal Folk Museum's Leikarring troupe.

Das kulturelle Geschehen in Molde ist vielfältig – stellvertretend hier das Bjørnson-Haus, der Künstler Arne Nøst, der Moldener Kartoffelknödel, die Kanonen auf der Schanze, Jan Inge "Mella" Melsæter, der Männerchor Fuglset sowie die Volkmusikgruppe des Romsdals-Museums.

molde

Molde stadion og Storkaia sett fra sørvest.

Molde Stadium and Storkaia, seen from the south-west.

Das Stadion Molde und die Kaianlage Storkaia von Südwesten aus gesehen.

Myrabakken i Molde sentrum.

Myrabakken in Molde town centre.

Der Myrabakken im Stadtzentrum von Molde.

Storgata og Reknesparken er sentrale når nasjonaldagen blir feiret den 17. mai.
Musikkorpsene har en hektisk dag med deltagelse i både barnetog og borgertog.

Storgata and Reknes Park are central to the celebration of Norway's national day on 17th May.
The bands have a hectic day in both the children's parade and the people's parade.

Die Storgata und der Reknespark sind Zentrum des Geschehens am 17. Mai, wenn in Norwegen der Nationalfeiertag begangen wird.
Die Musikkapellen haben ein volles Programm mit Auftritten im Kinder- und Bürgerzug.

Bybrannen i 1916 og bombingen i 1940 ødela store deler av byen.
I utkanten av sentrum finnes en rekke velholdte hus fra tidlig 1900-tall.

The fire of 1916 and the bombing of 1940 destroyed large parts of the town.
The fringes of the town centre still have a number of well maintained buildings from the early 1900s.

Durch den Stadtbrand im Jahr 1916 und die Bombardierung 1940 wurden große Teile der Stadt zerstört.
Am Rande des Stadtkerns findet man noch eine Reihe gut erhaltener Gebäude aus dem frühen 20. Jahrhundert.

Molde domkirke som ble tatt i bruk i 1957, ligger godt synlig i bybildet. | Molde Cathedral, which came into

is a highly visible part of the townscape. | Die Domkirche Molde, 1957 geweiht, ist Bestandteil des Stadtbildes.

I Molde sentrum finner du flere eksempler på god etterkrigsarkitektur.

In the centre of Molde you will find several good examples of post war architecture.

Im Stadtzentrum gibt es mehrere Beispiele gelungener Nachkriegsarchitektur.

Siloen på Moldegård, Forumbygget, Rica Seilet Hotel og Aker Stadion er alle tegnet av arkitekt Kjell Kosberg som har satt sitt preg på deler av byen.

The silo at Moldegård, the Forum Building, Rica Seilet Hotel and Aker Stadium were all designed by the architect Kjell Kosberg, who has set his mark on many parts of the town.

Das Silo im Gewerbegebiet Moldegård, das Forumbygget, das Rica Seilet Hotel und das Aker Stadion tragen die Handschrift des Architekten Kjell Kosberg.

molde

De første husene i Nordbyen ble tatt i bruk i 1980.

The first houses in Nordbyen were occupied in 1980.

Die ersten Häuser der Nordstadt – Nordbyen – wurden 1980 bezogen.

Boligområdene ligger sørvendt med god utsikt.

The south facing residential areas offer a fine view.

Die Wohnbebauung ist nach Süden gerichtet und bietet allen einen herrlichen Blick.

molde

FK
1911

Tornekrattet er Molde Fotballklubbs supporterklubb.
MFK har gitt dem både jubel, spenning og fortvilelse med sine varierende tabellplasseringer.

Tornekrattet is Molde Football Club's supporters' club.
The club's shifting league position has given them joy, excitement and occasional doubts.

„Tornekrattet" – „Dornenbusch" – heißt der Fanclub des Fußballvereins Molde.
Mit seinen wechselnden Tabellenplatzierungen gibt der Verein Anlass zu Jubel, Spannung und Verzweiflung in gleichem Maße.

Molde Fotballklubb har vært i norsk toppserie siden 1974. Hjemmearena er Aker Stadion som er en av landets flotteste.

Molde Football Club has played in Norway's top division since 1974. The home arena is Aker Stadium, which is one of the finest in the country.

Der Fußballverein Molde spielt seit 1974 in der obersten Liga mit. Heimspielort ist das Aker Stadion, eines der schönsten Stadien in ganz Norwegen.

Øster Hus
Lyse
HINNA PARK
16
BUNNPRIS
subsea 7

Været kan skifte fort på Nordvestlandet. Snø og sluddbyger veksler med flotte klare vinterdager.

The weather can change quickly in the north-west country. Snow and sleet showers alternate with fine, clear winter days.

Rasche Wetterumschwünge sind im Nordwesten Norwegens an der Tagesordnung. Schnee und Schneeregen wechseln mit schönen, klaren Wintertagen.

Nordgående og sørgående hurtigrute møtes i Molde.

Northbound and southbound coastal steamers meet in Molde.

Die Hurtigrouteschiffe in Richtung Norden und Süden treffen in Molde aufeinander.

Fergestrekningen over Romsdalsfjorden trafikkeres av tre ferger.

Three ferries operate the route across Romsdalsfjord.

Auf der Fährstrecke über den Romsdalsfjord verkehren drei Fähren.

Oshaug metallstøperi og Brunvoll, som produserer propellsystemer, leverer til kunder over hele verden.

Oshaug foundry and Brunvoll, which produces propeller systems, supply customers all over the world.

Die Metallgießerei Oshaug und das Unternehmen Brunvoll, Hersteller von Propellersystemen, exportieren ihre Produkte weltweit.

Glamox produserer lysarmaturer og varmeovner, og er en av byens største arbeidsplasser.

Glamox manufactures lighting fixtures and heaters and is one of the town's biggest workplaces.

Glamox produziert Lichtanlagen und Heizöfen und ist einer der größten Arbeitgeber der Stadt.

Molde sett fra øst med handels og industriområdene på Moldegård og gamle Bolsønes verft i forgrunnen.

Molde from the east, with the commercial and industrial areas of Moldegård and old Bolsønes shipyard in the foreground.

Molde aus Blickrichtung Osten mit dem Gewerbegebiet Moldegård und der alten Werft Bolsønes im Vordergrund.

Boligområdene på Kringstad og Kvam vest for sentrum.

The residential areas at Kringstad and Kvam, west of the town centre.

Die Wohngebiete Kringstad und Kvam westlich des Stadtzentrums.

Høgskolen i Molde er landets ledende innen logistikk og transportøkonomi.

Molde University College is the national leader in the fields of logistics and transport economics.

Die Hochschule von Molde ist auf dem Gebiet der Logistik und der Verkehrswirtschaft landesweit führend.

På Eikrem ligger Molde Golfklubbs 9-hulls bane. Her har du flott utsikt mot fjord og fjell. Bildet til venstre: Solnedgang ved Kringstadbukta vest for sentrum.

Molde Golf Club's 9-hole course is at Eikrem. It offers a beautiful view of the fjord and mountains. Picture to left: Sunset at Kringstadbukta to the west of the town centre.

In Eikrem liegt die 9-Loch-Bahn des Golfclubs Molde. Von hier aus bietet sich eine malerische Aussicht. Links: Sonnenuntergang an der Kringstadbucht westlich des Stadtkerns.

16

Forrige side: Bygata på Romsdalsmuseet. | Previous page: The town street in Romsdal Folk Museum. | Vorherige Seite: Die Bygata – „Stadtstraße" - im Romsdalsmuseum.

molde

Leikarringen opptrer på Romsdalsmuseet som ligger like nord for sentrum.

The Leikarring troupe perform at Romsdal Folk Museum, which is just north of the town centre.

Die Volksmusikgruppe Leikarringen tritt im Romsdalsmuseum nördlich des Stadtzentrums auf.

Molde gjestehavn ligger sentralt mellom Aker Stadion og byens sentrum.

Molde's marina is centrally located between Aker Stadium and the town centre.

Der Gästehafen Molde liegt zentral zwischen dem Aker Stadion und dem Stadtzentrum.

Spisestedet "Løkta" ligger på kaikanten like ved Molde gjestehavn.

"Løkta", by the quayside near Molde marina, is a good place to eat and drink.

Das Restaurant "Løkta" direkt am Kai des Gästehafens.

molde

En kort båttur fra sentrum ligger Hjertøya med Fiskerimuseet.

A short boat ride from the centre is Hjertøya with its Fishery Museum.

Nach kurzer Überfahrt vom Stadtzentrum aus erreicht man die Insel Hjertøya mit dem Fischereimuseum.

Forrige side: Retiro en stille vinterdag. | Previous page: Retiro on a calm winter's day. | Vorherige Seite: Das Freizeitgelände Retiro an einem ruhigen Wintertag.

Moldeholmene ligger nær bysentrum og mulighetene for båtfolket er mange. | The islands which make up Moldeholmene are close to the town and offer

tunities for boating. | Die Inseln und Schären vor Molde liegen nahe des Stadtzentrums und bieten vielfältige Ausflugsmöglichkeiten für Bootstouristen.

Hjertøytangen er den vestligste delen av Moldeholmene.

Hjertøytangen is the westernmost part of Moldeholmene.

Hjertøytangen bildet den westlichsten Teil der Inselwelt vor Molde.

Småbåthavna på Tøndergård er blant landets største.

The marina at Tøndergård is one of the country's largest.

Der Kleinboothafen Tøndergård – landesweit einer der größten.

Havskodda omkranser utsiktspunktet Varden 407 m.o.h.

Sea mist surrounds the viewpoint at Varden 407 metres above sea level.

Eine tiefhängende Wolkendecke umgibt den Varden auf 407 Metern über dem Meer.

Bergsvatnet ligger midt i Moldemarka, byens flotte turterreng.

Øverland Lake is in the middle of Moldemarka, the town's wonderful walking country.

Der Bergsvatnet liegt mitten in der Moldemarka, dem schönen stadtnahen Wandergebiet.

Like ved byen ligger Moldemarka som med sitt nettverk av turløyper byr på mange naturopplevelser.

The network of pathways at Moldemarka is easily reached from town and offers many outdoor experiences.

Die Moldemarka am Stadtrand bietet mit ihrem weit verzweigten Wanderwegenetz zahlreiche Naturerlebnisse.

Skaret med sine mange turløper er et populært utfartsområde.

Skaret's many paths and trails make it a popular area for excursions.

Vielfältige Wander- und Langlaufmöglichkeiten machen Skaret zu einem beliebten Ausflugsgebiet.

Regnbue over Dragvågen på Bolsøya.

Rainbow over Dragvågen on Bolsøya.

Regenbogen über der Bucht Dragvågen auf Bolsøya.

Tunnelen til Bolsøya har åpnet for nye boligfelt på øya.

The tunnel to Bolsøya has opened up new residential areas on the island.

Der Straßentunnel zur Bolsøya war Wegbereiter für neue Wohngebiete auf der Insel.

På Sekken bor det vel 160 mennesker. Den 20 kilometer lange vegen rundt øya er populær til sykkelturer.

About 160 people live on Sekken. The 20 kilometre road around the island is popular with cyclists.

Auf Sekken leben etwa 160 Menschen. Die 20 Kilometer lange Straße um die Insel ist eine beliebte Fahrradrundtour.

molde

Nesje ved Langfjorden (bildet til venstre). Molde er en av de største landbrukskommunene i Møre og Romsdal.

Nesje at Langfjorden (picture to left). Molde is one of the biggest agricultural municipalities in Møre & Romsdal county.

Nesje bei Langfjorden (Bild links). Molde ist eine der bedeutendsten Agrargemeinden des Verwaltungsbezirks Møre og Romsdal.

Vinterkveld ved Vågsetervågen.

Winter evening at Vågseter Bay.

Winterabend an der Bucht Vågsetervågen.

Boligområdene på Skålahalvøya ligger landlig og bynært.

The residential areas on the Skåla peninsula enjoy a rural location close to the town.

Die Wohngebiete der Halbinsel Skåla sind ländlich und stadtnah zugleich.

På Skålahalvøya finnes både jordbruk, industri og boligområder.
Nesje AS har 30 ansatte og produserer møbler og innredninger til kunder over hele verden, blant annet Stortinget og Det hvite hus.

The Skåla peninsula has agriculture, industry and residential areas.
Nesje AS has 30 employees and produces furnishings and interiors for customers all over the world, including the Storting and the White House.

Auf der Halbinsel Skåla gibt es Landwirtschaft, Industrie und Wohngebiete. Das Unternehmen Nesje AS mit 30 Mitarbeitern stellt Möbel und Einrichtungsgegenstände für Kunden aus aller Welt her, so auch für das norwegische Parlament und das Weiße Haus in den USA.

Oselva renner ut innerst i Fannefjorden. Turmulighetene er mange.
Skåla er det høyeste fjellet i kommunen med sine 1128 m.o.h.

The Oselv river flows into the innermost part of Fannefjorden. There are many opportunities for walks.
At 1,128 metres, Skåla is the highest peak in the municipality.

Der Fluss Oselva mündet am Ende des Fannefjords ins Meer. Hier bieten sich zahlreiche Wandermöglichkeiten.
Der Skåla ist mit 1128 Metern der höchste Berg der Gemeinde.

molde

Rimfrost på Aspelund ved Osvatnet. Utsikt vestover fra Vetafjellet.

A frosty day at Aspelund by Osvatn lake. The view to the west from Vetafjellet.

Raureif bei Aspelund am Osvatnet. Blick vom Vetafjellet nach Westen.

Kleive ligger ca. 30 km øst for sentrum. Bildet til høyre: Grendahuset og skolen med Kleive i bakgrunnen

Kleive is about 30 km east of the town centre. Picture to right: The community centre and school with Kleive in the background.

Kleive liegt etwa 30 km östlich des Stadtzentrums. Bild rechts: Gemeindehaus und Schule mit Kleive im Hintergrund.

molde

Brødrene Midthaug på Kleive produserer blant annet trapper, rekkverk og balkonger og er bygdas største arbeidsplass. Bildet til venstre: Stangarvatnet på Fursetfjellet.

Midthaug Brothers at Kleive makes staircases, railings and balconies and is the biggest employer in the parish. Picture to left: Stangarvatn lake at Fursetfjellet.

Die Gebrüder Midthaug in Kleive stellen Treppen, Geländer und Balkone her und sind größter Arbeitgeber des Ortes. Bild links: Der Stangarvatnet auf dem Fursetfjellet.

Hjelset ved Fannefjorden.

Hjelset on Fannefjorden.

Hjelset am Fannefjorden.

Klubbrenn i Idrettslaget Hjelset Fram.

Club competition at Hjelset Fram sports club.

Vereinsrennen des Sportvereins Hjelset Fram.

"Poppeloppe" er det lokale navnet på løvetann. Fra Lønset med Bolsøya i bakgrunnen. | "Poppeloppe" is the local name for dandelion. View

…et with Bolsøya in the background. | "Poppeloppe" heißt hier der Löwenzahn. Blick von Lønset aus mit der Insel Bolsøya im Hintergrund.

Molde ligger langstrakt i sørhellinga ved Romsdalsfjorden.

Molde stretches itself along the south facing slopes beside the Romsdalsfjord.

Molde liegt langgestreckt am Südhang des Romsdalsfjords.

Gassen fra Ormen Lange feltet føres i land på Nyhamna på Gossen.
Dette industriprosjektet har betydd mye for kommunene Aukra og Midsund og regionen forøvrig.

Gas from the Ormen Lange field is brought ashore at Nyhamna on Gossen.
This industrial project has meant a great deal to the municipalities of Aukra and Midsund and to the region as a whole.

Das Erdgas des Gasfeldes Ormen Lange wird in Nyhamna auf Gossen angelandet.
Dieses Industrieprojekt hat für die gesamte Region und vor allem für die Gemeinden Aukra und Midsund eine zentrale Bedeutung.

Ytterst ute mot storhavet ligger fiskeværet Ona i Sandøy kommune.
Flere keramikere har arbeidsplassen sin like ved det kjente fyret.

Far out towards the ocean lies the fishing hamlet of Ona in the municipality of Sandøy.
Several potters have their workshops close to the well known lighthouse.

In der Gemeinde Sandøy, ganz weit draußen am Rande des offenen Meeres, liegt das Fischerdorf Ona.
Mehrere Töpfer haben direkt an dem bekannten Leuchtturm ihre Werkstätten.

Storbåra bryt ved Bud.

Breakers at Bud.

Hohe Wellen brechen sich bei Bud.

Havna på Nordre Bjørnsund. Fiskeværet ble fraflytta i 1970-åra.

The harbour at Nordre Bjørnsund. The fishing hamlet was abandoned in the 1970s.

Kaianlage von Nordre Bjørnsund. In den 1970er Jahren wurde das Fischerdorf aufgegeben.

På strekningen fra Bud til Kårvågen over Atlanterhavsvegen kommer du i nærkontakt med storhavet, en naturopplevelse både i storm og stille.

The route from Bud to Kårvågen along the Atlantic Road offers a close encounter with the ocean, an experience of nature in storm or calm.

Auf der Fahrt über die Atlantikstraße von Bud nach Kårvågen erlebt man das Meer hautnah –bei ruhiger wie stürmischer Witterung.

Neste side: Atlanterhavsvegen er en av Norges største turistattraksjoner. Høsten 2005 ble den kåret til Århundrets byggverk i Norge.

Next page: The Atlantic Road is one of Norway's greatest tourist attractions. In autumn 2005 it was voted Construction of the Century in Norway.

Nächste Seite: Die Atlantikstraße ist einer der größten Anziehungspunkte Norwegens. Im Herbst 2005 wurde sie "Jahrhundertbauwerk Norwegens".

molde

Hustadvika er et av de farligste havstykkene langs norskekysten.

Hustadvika is one of the most dangerous stretches of water along the Norwegian coast.

Die Hustadvika ist für Schiffe einer der gefährlichsten Abschnitte in norwegischen Küstengewässern.

Det gamle fiskeværet og handelsstedet Håholmen ved Atlanterhavsvegen er i dag en godt utbygd reiselivsbedrift.

The old fishing hamlet and trading post at Håholmen beside the Atlantic Road is now well developed for tourism.

Der alte Fischer- und Handelsort Håholmen an der Atlantikstraße ist heute ein gut geführter Tourismusbetrieb.

molde

Bjørnstjerne Bjørnson vokste opp i traktene ved Eresfjorden og Eikesdalen.
Mardalsfossen har et fritt fall på 297 m, samlet høyde er 655 m. Bildet til høyre viser Eikesdalsvatnet.

Bjørnstjerne Bjørnson grew up in the area around Eresfjord and Eikesdal.
The Mardalsfoss waterfall has a free fall of 297 metres and a total height of 655 metres. The picture on the right shows Eikesdalsvatn lake.

Bjørnstjerne Bjørnson verbrachte seine Kindheit im Gebiet um den Eresfjord und Eikesdalen.
Der Wasserfall Mardalsfossen stürzt 297 Meter im freien Fall hinab. Seine Gesamthöhe beträgt 655 Meter. Das Bild rechts zeigt den Eikesdalsvatnet.

molde

Naturen i Rauma er alpin og dramatisk. Trollstigen ble åpnet i 1936 og er blant de mest besøkte turistattraksjoner i landet.

Rauma's nature is alpine and dramatic. The Trollstigen road was opened in 1936 and is among the country's most visited tourist attractions.

Die Landschaft von Rauma ist alpin und dramatisch. Der Trollstigen wurde 1936 eröffnet und gehört heute zu den am häufigsten besuchten Touristenattraktionen Norwegens.

Trollveggen er Europas høyeste og Norges mest kjente fjellvegg.

Trollveggen is Europe's highest rock face and the best known one in Norway.

Die Trollveggen ist Europas höchste und Norwegens bekannteste Felswand.

Elvene Ulvåa og Rauma møtes øverst i Romsdalen.

The meeting of the Ulvåa and Rauma rivers in the highest part of the Romsdal valley.

Die Flüsse Ulvåa und Rauma vereinen sich im oberen Romsdalen.